世界で一番の
贈りもの

マイケル・モーパーゴ 作

マイケル・フォアマン 絵　佐藤見果夢 訳

評論社

THE BEST CHRISTMAS PRESENT
IN THE WORLD

by Michael Morpurgo

Illustrated by Michael Foreman

Text copyright © 2004 Michael Morpurgo

Illustrations copyright © 2004 Michael Foreman

Cover photo courtesy of the Imperial War Museum, London

The moral rights of the author and illustrator have been asserted

A CIP catalogue record for this title is available from the British Library

Japanese translation rights arranged with

Farshore, an imprint of HarperCollins Publishers Limited

Printed and bound in India

1914年、戦場の最前線で
クリスマス休戦をもたらした
英独両軍の兵士に捧ぐ

その机を見つけたのは、ブリッドポートのがらくた屋の店先だった。
「19世紀初期の品で、オーク材ですよ」
　店の人は、そう言ってすすめた。ずっと前から、そんなふたのついた机が欲しかったんだ。でもたいていは値段が高すぎて、手が出せなかった。
　その机は、ひどいありさまだった。まきあげ式のふたは、こわれているし、一本の脚(あし)にはへたくそな修理のあとがある。おまけに、横っちょが焼けこげていた。

おかげで、たいした金額じゃなかった。それに、ぼくならその机を、もとどおりに直せるような気がした。もちろん、やってみないとわからない。でも念願のロールトップデスクを手に入れるチャンスじゃないか。そう考えて店の人に代金を払うと、その机をガレージ奥に運びこんだ。そこがぼくの作業場だ。

修理を始めたのはクリスマス・イヴだった。イヴには家に親戚の連中が集まって、大騒ぎをしていた。だから、しばらく一人になりたかったんだ。
　まず、まきあげ式のふたをはずした。次に、引出しをひとつずつ、はずしていった。始めてみてわかった。これは思ったより大仕事になりそうだ。あちこちの板がはがれている。どうも水をかぶったらしい。火と水の両方に痛めつけられたんだな。最後にひとつ、どうしても開かない引出しがあった。なだめたり、すかしたり……いろいろやってみたが、びくともしない。

こうなったら、力ずくで開けるよりしょうがない。げんこつで、思いっきりたたいた。すると引き出しが、ぽんと飛びだしてきて、その下に小さな空間が現れた。秘密の引出しだったんだ。

　中に、何か入っているようだった。手をつっこんで取りだしてみると、それは黒い小さなブリキの箱だった。箱のふたに、便箋(びんせん)を切った紙がテープではりつけられていて、そこには、ふるえる字でこう書いてあった。

「ジムからの最後の手紙。1915年1月25日受取。私とともに埋葬のこと」

　むやみに開けちゃいけない。そうわかっていながら、箱を開けていた。けっきょく好奇心の強さが、良心のとがめを吹きとばしたわけだ。まあ、たいてい、そんなものだろう。

　箱のなかには、手紙が一通入っていた。あて名は「ドーセット州ブリッドポート、カッパー・ビーチ12番地、ジム・マクファーソン夫人」

　封筒から手紙を取りだして開いてみた。鉛筆書きの手紙で、最初に日付があった。1914年12月26日、と。

いとしいコニーへ

　私は今、とても幸せな気分で、この手紙を書いている。すばらしいことが起きたんだ。それを早くきみに知らせたくて、たまらない。

　昨日の朝、われわれは全員塹壕(ざんごう)のなかで、ドイツ軍の攻撃にそなえていた。クリスマスの朝だった。あたりはしんと静まりかえり、空気は冷たくさえわたっていた。見たこともないくらい、それはそれは美しい朝だった。真っ白く霜が降りて、こごえるような、いかにもクリスマスらしい朝だった。

始めたのはわが軍、そう言えたらよいのだが、残念ながら違った。ドイツ軍の兵士から始めたことだ。
　まず最初に、味方の兵士からの報告があった。ドイツ軍の塹壕(ざんごう)で、白旗がふられていると。そのうちドイツ兵の大声が、無人地帯を越えてひびいてきた。
「メリー・クリスマス、エゲレスさんよぉ！　クリスマス・お・め・で・とー！」
　一同、耳を疑いぼうぜんとした。ようやくおどろ

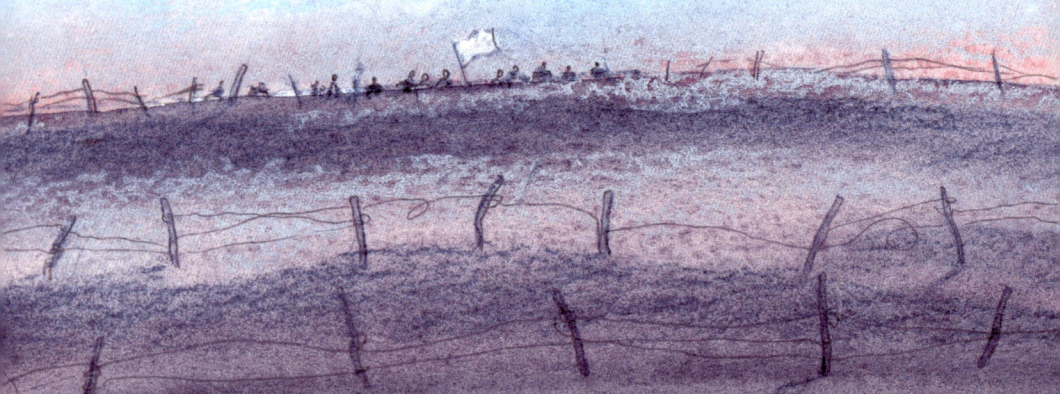

きが、おさまったころだ、こちらの塹壕からどなりかえす者があった。
「こっちからも、メリー・クリスマス！ ドイツ野郎！」
　それで、もう終わり。だれもがそう思った。ところがその時、ドイツ兵が一人立ちあがって、大きく白旗をふりだした。外套(がいとう)すがたを、すっかりこちらにさらして。
「おい、撃(う)つんじゃないぞ！」と、わが軍の兵士の声。
　撃つ者はなかった。すると、ドイツ兵が一人、さらにもう一人と、塹壕の上にあがっていく。

「頭を下げろ。罠かも知れん」
　私は、部下の兵士たちに命じた。だが罠ではなかった。
　一人のドイツ兵が、頭の上で酒びんをふって見せながら、こう言った。
「今日はクリスマスだ、エゲレスさん。こっちには酒もソーセージもある。どうだい一緒にやらないか?」
　気がつくと10人ほどのドイツ兵が、両軍の戦線ではさまれた無人地帯に向かって、ぞろぞろ歩いてくるところだった。しかも、ライフルを持たずに。

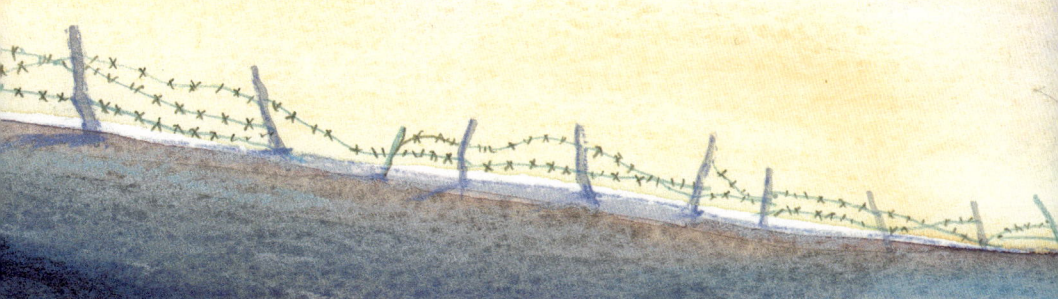

最初に立ちあがったのは、若いモリス二等兵だった。
「行きましょう。なにをぐずぐずしているんです?」
　もはや、止められるものではなかった。私は将校だ。その場で、やめさせるべきだったかもしれない。でも、そんな気には全くなれなかった。

見ているうちに、無人地帯に向かって両軍の兵士たちが、ゆっくり歩み寄っていく。グレーの外套とカーキ色の外套が、真ん中で一緒になった。

　私もそこにいた。そう、戦争の最中にわれわれは、つかのまの平和を作りだしたのだ。この私も、そのうちの一人だった。

ドイツの将校が、私のところにやってきて、手をさしのべた。その男と、目をあわせた時の気持ちといったら、コニー……。暖かい握手をかわし、その手を握ったままにして、かれは話しかけてきた。
「私はハンス・ヴォルフ。生まれはデュッセルドルフだ。楽団でチェロを弾いている。クリスマスおめでとう」
　こちらからもあいさつを返した。
「ジム・マクファーソン大佐だ。クリスマスおめでとう。私はドーセットで、学校の教師をしている。イギリスの南西部だ」
「ああ、ドーセットね。そのあたりのことなら、よく知っているよ。とてもよく知っている」
　かれはそう言って、ほほえんだ。

われわれは、私が持ちだした支給品のラム酒で乾杯し、ハンスが持ってきたソーセージを食べた。とてもうまかったよ。それから、たがいに語りあった。コニー、どんなに夢中で語りあったか知れない。ハンスは、なかなかきれいな英語を話した。ところが話のようすから、ドーセットへ行ったことがないのが解ってきた。イギリスについての知識は、学校で学んだのだそうだ。それから、英語の小説をよく読むとも言っていた。好きな作家はトーマス・ハーディ。愛読書は『狂おしき群れをはなれて』だと。

　それで何と、この荒れ果てた無人地帯で、小説の女主人公バスシバや、牧夫のオウク、美男子のトロイ軍曹、さらにドーセットの丘や村、牧場の話に花を咲かせた。かれには奥さんと、生まれてまだ6ヵ月の息子がいるそうだ。

見まわすと、無人地帯ではカーキ色とグレーが入り混じったかたまりで、いっぱいだった。交換したタバコをふかし、笑いあい、話しあい、酒をくみかわし、食べ物を分けあう兵士たち。コニー、きみがクリスマスのために焼いてくれたケーキを、ハンス・ヴォルフに、ふるまってやったよ。こんなにおいしいマジパンは、食べたことがないと言うから、コニー、私も同感だと言った。かれとは何でも意見があうんだ。敵だというのにね。コニー、まず考えられないようなクリスマスパーティだった。

　そのうちだれかが、サッカーボールを持ちだした。二色の外套が混じりあって、両サイドにゴールがわりの棒を立てた。無人地帯の真ん中で、ドイツ対イギリスのサッカー試合が始まった。ハンス・ヴォルフと私は応援にまわった。手をたたいたり、足をふみならしたりしながら。そうしないと、寒くていられなかったから。二人のはく息が、目の前で混ざりあった。ハンスも、それに気がついて笑った。

　しばらくして、かれが口を開いた。
「ジム・マクファーソン、この戦争を終わらせる方法

が解ったよ。サッカーの試合で、勝負を決めればいい。サッカーなら、だれも死なずにすむ。親を失う子もない。夫を失う妻もない」
「クリケットにしてくれないか。それなら、イギリス勢のほうが勝てそうだから」
　そんなことを言って、笑いあいながらサッカーの試合を楽しんでいた。だがコニー、残念ながら2対1でドイツチームの勝ちに終わった。しかし、ハンス・ヴォルフが、こうなぐさめてくれた。イギリス側のゴールのほうが、ドイツ側より広かった。だから公平ではなかったんだと。

楽しい時間は、またたくまに過ぎてしまった。サッカーの試合が終わるころには、酒もケーキもソーセージも、とっくに無くなっていた。もう、終わりにするよりしようがないとは、だれもが解っていた。私はハンスに元気でと言い、早く家族のもとに帰れるようにと言った。この戦争が終わって、みんなが故郷に帰れるよう願っていると。

「兵士は一人残らず、そう願っているさ。どちらの軍の兵士も」
　ハンス・ヴォルフが、そう返した。
「じゃあ、元気でな、ジム・マクファーソン。今日のことは忘れないよ。きみのことも忘れない」
　かれは私に向かって敬礼すると、ゆっくりもどっていった。まるで別れたくないとでもいうように。一度だけ、こちらをふりむいて手をふった。
そして、ドイツ軍の塹壕にもどる、
何百人というグレーの外套の兵士
たちの一人になった。

その晩、地下壕に横たわったわれわれの耳に、ドイツ兵のクリスマスキャロルがひびいてきた。ドイツ語で歌うみごとな「きよしこの夜」だった。こちらも声を張りあげて「羊飼いたちが」を歌いかえした。しばらくのあいだ両軍がかわるがわる、いくつもクリスマスキャロルを歌いあった。やがて、いつのまにか歌声はとだえ、あたりは静けさにつつまれた。つかのまとはいえ、思いやりに満ちた、心温まる時間が持てた。かけがえのない一生の宝物、そんなひとときだった。

いとしいコニー。来年のクリスマスには、この戦争も、ただの遠い思い出話になっていることだろう。今日のできごとで、どちらの軍の兵士も、どんなに平和を願っているかがよく解った。きみのもとに帰れる日が、もうすぐくる。私は、そう信じている。

愛をこめて、ジムより

手紙をたたんで、そっと封筒にもどした。手紙を見つけたことは、だれにも言わなかった。だれかのだいじな場所に、勝手にふみこんでしまった。そんな後ろめたさを自分の胸にしまいこんだ。たぶんそのせいだろう、その晩はどうしても眠れなかった。朝までには自分のやるべきことを、すっかり決めていた。

　ぼくは口実をつくって、みんなと教会には行かないことにした。そのかわり、ブリッドポートへ車を走らせた。ほんの数キロ先だもの。そして、犬と散歩中の子どもに聞いた。

「カッパー・ビーチって、どこ?」

12番地の家は、焼けこげた残がいになっていた。屋根はぱっくり口を開け、窓という窓は破れて板がうちつけてあった。ぼくは、となりの家の戸をたたいて、マクファーソン夫人のことを聞いてみた。
「ああ、あの人のことかい」
　スリッパをつっかけた年配の男の人が出てきて、そう言った。

「気のいいおばあさんだよ。もっとも、少々もうろくはしているが、あの歳だもの、しょうがないだろう? 101歳だもの。火事で家を焼くまでは、ここに住んでいたよ。何で火事になったかは、わからずじまいさ。たぶん原因はロウソクの火だろうな。電気を使わずに、ロウソクをつけていたから。電気代が高すぎるって、いつも言っていたよ。うまく消防隊がまにあって、あのおばあさんを助けだしたんだ。今は施設に入っているよ。町の向こう側、ドーチェスター通りにあるバーリントン・ハウスだ」

バーリントン・ナーシング・ホームは、すぐに見つかった。玄関ホールは、色紙のくさりで、かざりつけられていた。クリスマスツリーにも灯りがともり、そのてっぺんで天使の人形がかたむいていた。

　ぼくは、マクファーソンさんの知りあいで、プレゼントを届けにきたと言った。

　食堂ではちょうど、紙の帽子をかぶったおじいさん、おばあさんたちが集まって、クリスマ

スキャロルの陽気なナンバー「ウェンセラスは、よい王様」を楽しげに歌っていた。

　みんなと同じ紙の帽子をかぶった寮母(りょうぼ)さんが、ぼくを大喜びで迎えいれ、クリスマスにはつきもののミンスパイまでごちそうしてくれた。寮母さんは、並んでろうかを歩きながら、
「マクファーソンさんは、みなさんとは別のところにいます。今日は少し、おつむがはっきりしないようだから、静かに休まれたほうがいいかと思いましてね。あの方は、ほら、身寄りがないでしょ。お見舞いもなかったんですよ。だから、あなたのお顔を見たら、とっても喜ぶんじゃないかしら」

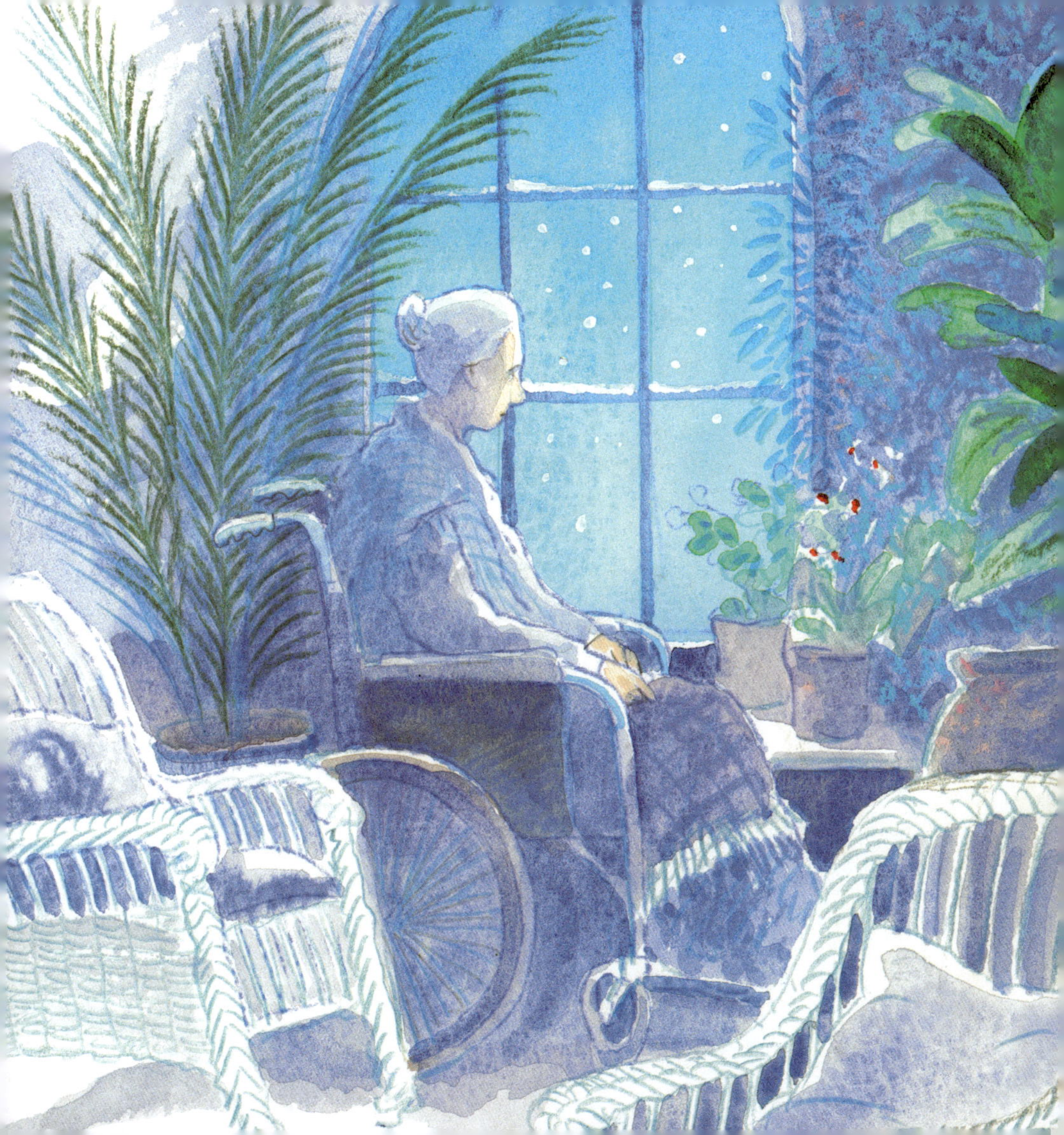

着いたところは温室で、柳細工の椅子がいくつかと、鉢植えがたくさん置いてあった。寮母さんは、ぼくをそこに残してもどっていった。
　一人のおばあさんが、車椅子に座っていた、両手をひざにそろえて。小さくまとめてピンで留めた髪は、真っ白だった。おばあさんは、外の庭を一心に見つめていた。
「こんにちは」
　ぼくが声をかけると、ふりむいて、ぼんやりとこちらを見た。
「クリスマスおめでとう、コニーさん。じつは、これを見つけたんです。あなたのものですよね」

そう言っているあいだ、コニーさんは、ぼくの顔から目を離さない。ぼくはブリキの箱を開けて、手紙をわたした。その時だった。コニーさんの目にはっきり、光がともった。顔中に喜びがあふれ、かがやき始めた。
　ぼくは、ロールトップデスクを買ったことから始めて、どうしてこの手紙を見つけることになったのか説明した。それなのに、ぼくの言葉など少しも聞いていないようだった。
　しばらくのあいだコニーさんは、だまったまま、ただ指先で優しく手紙をなでていた。
　そのうち、すっと片手をのばしたと思うと、ぼくの手をとった。目には、涙があふれていた。

「あなた、そう言ったものね。クリスマスには帰るって。ねえ、あなた。とうとう帰ってきてくれたわ。何よりうれしいプレゼントよ。さあジム、そばに来て。ここに、座って」

　ぼくがとなりに座ると、コニーさんは、そっと、ぼくのほほにキスをした。

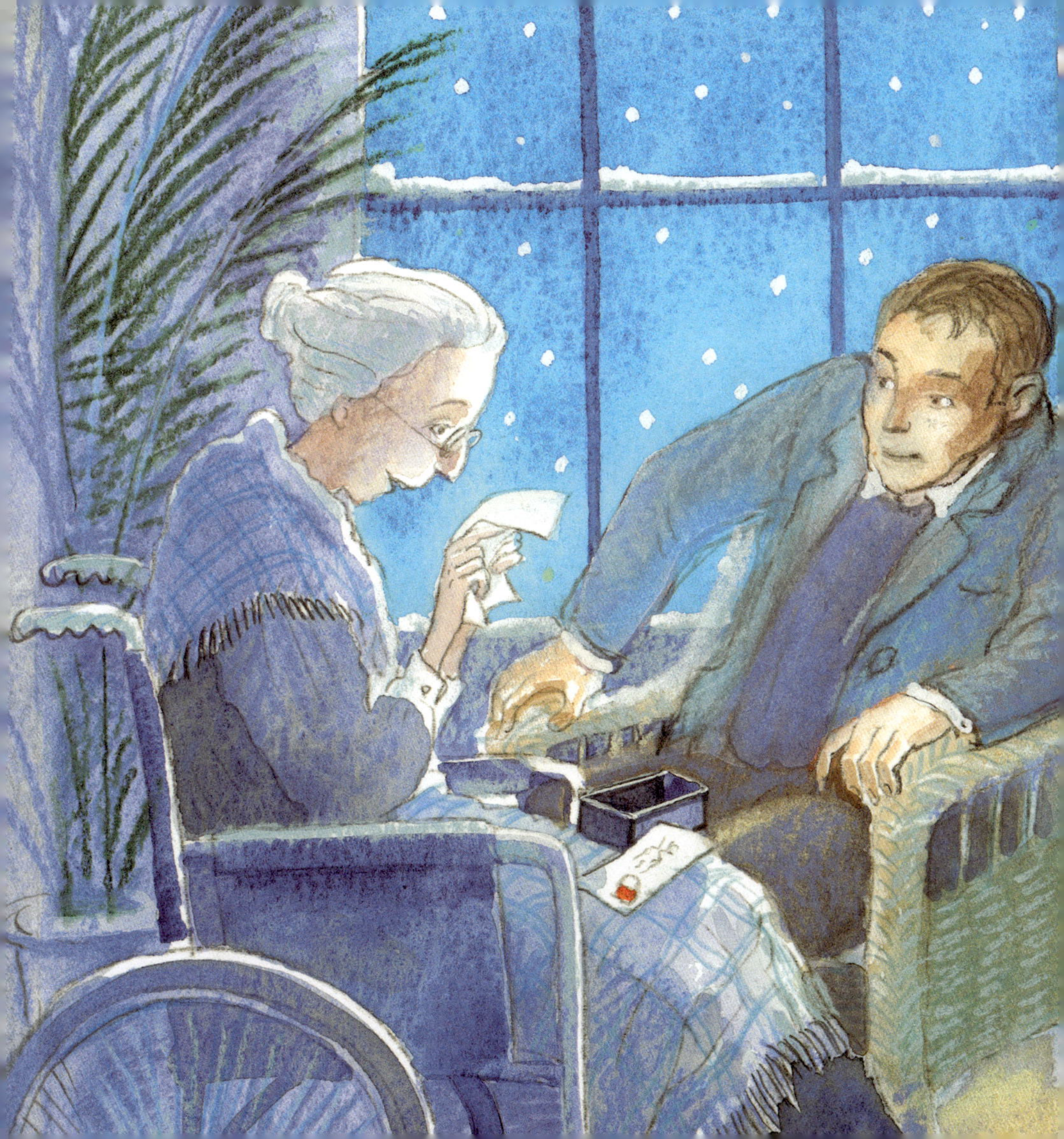

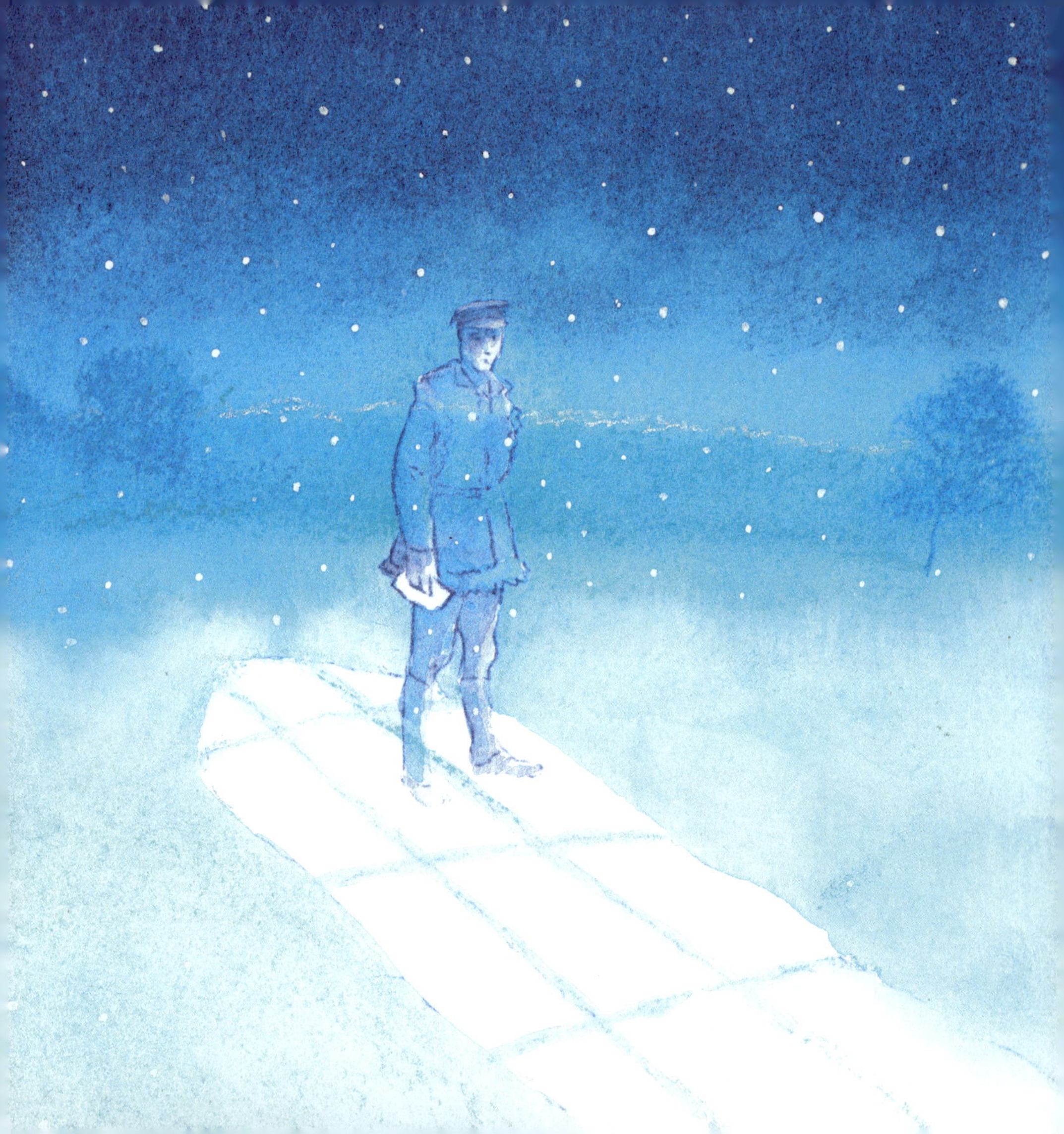

「ねえ、ジム。私、この手紙を毎日読みかえしていたのよ。あなたの声が聞こえる気がして。手紙を読んでいると、あなたが、そばにいるようだった。やっと、帰ってきてくれたのね。あなたの手紙、読んでくださる？　私に読んで聞かせてくださる？

　ねえジム、もう一度、あなたの声が聞きたいの。あなたの声、大好きよ。それから、お茶をいれましょうね。クリスマスのケーキを焼いたのよ。マジパンをたっぷりかぶせたわ。だってあなた、マジパンがとってもお好きだから」

クリスマス休戦——ほんとうにあった話

佐藤見果夢

　1914年のクリスマス休戦について、軍の公式記録は存在しません。戦場の最前線で自然発生的に生まれた、非公式の休戦だったためです。けれど、本作品中のジムのように、兵士たちがさまざまなかたちで、この信じられない体験を家族や友人に伝えたことから、いくつものエピソードが、伝説のように語り継がれていく事になったのです。

　この本に描かれているように、両軍の兵士の大半は、普通の市民でした。戦場で迎える初めてのクリスマス。凍てついた大地にふせながら、敵兵も、自分と同じように、家族や、愛するものがいると思い至った時、銃声は、ごく自然にクリスマスキャロルにかわっていったのでしょう。この休戦の後、戦闘は激化し、多くの青年が命を落とす結果になりました。

　この作品のほかにもモーパーゴは、看護婦となって戦地に赴き恋人を探しあてた物語、兄弟で入隊した少年兵の物語、軍馬として徴用された愛馬をめぐる物語など、第一次大戦に従軍したイギリス兵と、故郷で待つ人々の想いを、繰り返し物語にしています。クリスマス休戦については、以下のサイトを参照しました。感謝とともにご紹介します。

http://ww1.m78.com/topix-2/christmas%20truce.html
http://taraponya.exblog.jp/
http://news.bbc.co.uk/1/hi/uk/4123107.stm
http://www.kinnethmont.co.uk/1914-1918_files/xmas-truce.htm
http://www.fylde.demon.co.uk/xmas.htm

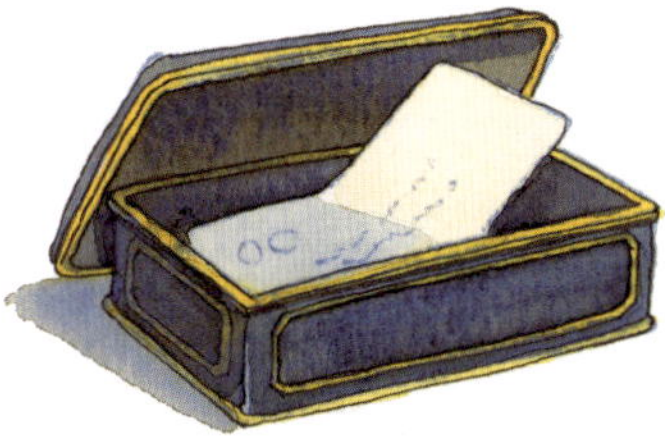

世界で一番の贈りもの

2005年11月5日　初版発行
2023年9月10日　3刷発行

著者　マイケル・モーパーゴ
画家　マイケル・フォアマン
訳者　佐藤見果夢
発行者　竹下晴信
発行所　株式会社評論社
〒162-0815　東京都新宿区筑土八幡町2-21
電話　営業 03-3260-9409　編集 03-3260-9403
URL　https://www.hyoronsha.co.jp

ISBN978-4-566-05070-9　NDC933 42p.　152mm×152mm
商標登録番号　第730697号　第852070号　登録許可済
Japanese Text ©Mikamu Sato, 2005
落丁・乱丁本は本社にておとりかえいたします。

＊本書のコピー、スキャン、デジタル化等の無断複製は著作権法上での例外を除き禁じられています。
本書を代行業者等の第三者に依頼してスキャンやデジタル化することは、
たとえ個人や家庭内の利用であっても著作権法上認められていません。